Хелена Бехлерова

ВЕСЁЛОЕ ЛЕТО

Перевод Святослава Свяцкого
Иллюстрации Ханны Чайковской

ЭКСМО
Москва
2013

УДК 82-93
ББК 84(4Пол)
В 55

Бехлерова Х.
В 55   Весёлое лето / Хелена Бехлерова ; пер. с польск.
С. Свяцкого ; ил. Х. Чайковской. — М. : Эксмо,
2013. — 80 с. : ил. — (Книги — мои друзья).

УДК 82-93
ББК 84(4Пол)

ISBN 978-5-699-62178-1

КРОЛЬЧОНОК СТРОИТ ШАЛАШ

Крольчонок жил в углу у стола. Был он весь беленький, и только на боку — тёмное пятнышко, круглое, как горошина. И потому крольчонка прозвали Горошком.

Горошек жил вместе с куклами, моряком, таксой и тигром. Летом в углу было очень жарко. Однажды крольчонок вышел во двор и решил в дом больше не возвращаться.

— Построю-ка я шалаш, — сказал себе крольчонок. — Летом в шалаше прохладно и хорошо.

Листья, стебли, прутики — немного нужно для шалаша. К вечеру шалаш был готов. Крольчонок сел на траву и стал радоваться:

— Отдохну. А потом перенесу в шалаш свои воздушные шарики, кровать, стол, кувшин и всё, что понадобится для хозяйства.

Но в шалаше Горошку не понравилось. Сквозь щели светило солнце. Огорчился крольчонок:

— Раз солнышко сюда заглядывает, значит, и дождик протечёт в мой шалаш.

Поглядел крольчонок по сторонам и увидал на грядке капустные листья — каждый, как зонтик.

— Сделаю-ка я из этих листьев крышу.

Шалаш выглядел теперь чуточку странно — совсем как зелёный гриб. Но именно это больше всего понравилось крольчонку. Послушал он, как квакают лягушки, и пошёл спать.

И снилось Горошку, будто он барабанщик, будто у него барабан и палочки, будто он марширует, поёт и стучит в барабан.

И от этой барабанной дроби крольчонок ночью проснулся. В самом деле, что-то барабанило.

— Это дождик, — догадался Горошек. — Люблю, когда капли стучат по крыше.

И заснул.

А когда проснулся, сел от неожиданности на постели. Крыша исчезла. Исчезла капустная крыша, а листья и веточки были смяты и поломаны.

И тут крольчонок услышал, как что-то хрустит. Возле шалаша стоял козлёнок. Это он хрустел.

— Что ты делаешь? — крикнул, рассердившись, Горошек, и даже нос зашевелился у него от ярости.

— Я завтракаю. Ты что, не видишь? — ответил козлёнок и бросился наутёк. А Горошек — следом. Гонялся за ним, гонялся, поймал наконец за хвост.

— Ты съел мою крышу. Что мне теперь делать? — сердито спросил Горошек.

А козлёнок дожевал сперва капустный лист и только потом сказал:

— Да, я съел твою крышу. Она была очень вкусная. Я и не знал, что это твой шалаш. Не сердись, я позабочусь о новой крыше. Может, она будет красивее прежней.

БУКЕТ ОТ КОЗЛЁНКА

Вечером крольчонок залез в свой шалаш без крыши. Он ужинал и радовался, что нет дождя. Он даже придумал песенку и распевал её во всё горло:

Если я услышу
Бурю вдалеке,
Влезу я под крышу,
Сяду в уголке.

Если крышу съели —
Мне тогда беда.

У меня в постели
Хлюпает вода.

Но дождя, к счастью, не было, и крольчонок собрался уже сочинить песенку о солнце, как вдруг услышал чьи-то шаги. У входа
в шалаш появился большой букет, а из-за букета выглянул козлёнок.

Козлёнок учтиво поклонился:

— Я принёс тебе цветы: не сердись на
меня, пожалуйста, за то, что случилось сегодня утром. Я забыл тебе сказать, что меня
зовут Трухтик.

Но Горошек уже не сердился. Песенка, которую он пел, выгнала из него всю злость.
Он поставил цветы в кувшин на столе. Уселся
по одну сторону стола, козлёнок — по другую. Но из-за букета они не могли видеть друг
друга, и Горошек поставил кувшин на землю.

Он угостил козлёнка всем самым вкусным,
что было у него в запасе.

— Ну, я пошёл, — сказал Трухтик, поужи-
нав. — Спокойной ночи.

Горошек лёг спать. Рано утром, ещё не
совсем проснувшись, он услышал, как что-то
жужжит и гудит в шалаше.

Это пчёлы летали и танцевали над буке-
том. Вскочил кролик, схватился за ухо.

— Меня укусила пчела! — жалобно крикнул Горошек. — И всё из-за этого Козлёнка.
Он съел мою крышу — и это очень плохо.
Потом принёс мне цветы — и это очень хорошо. Но, почуяв цветы, налетели пчёлы, одна
из них, наверное, очень злая.

Крольчонок обмотал голову платком, а цветы вынес во двор. Но тут же притащил их обратно, потому что подумал:

«Козлик, наверное, огорчится, если заметит, что я вынес его цветы из шалаша. Ведь он не виноват, что у меня ухо распухло».

ЧТо ПРинесЛи коТЯТа

Горошек сидел в кресле с обвязанной головой. Был уже вечер, и над лесом встала луна, большая и круглая. Крольчонок любил наблюдать, как луна ползёт вверх по небу и становится при этом всё меньше и ярче. Но сегодня наблюдать ему не хотелось. Ныло больное ухо, и он задремал в кресле.

Перед шалашом появился козлик Трухтик. Горошек дремал и не заметил гостя.

А Трухтик увидел тень на коврике, который висел у крольчонка в шалаше. Тень с четырьмя ушами!

«Кто-то другой поселился в шалаше, — подумал Трухтик. — Может, это какой-то новый зверь?»

Трухтик напугался и хотел незаметно уйти, но толкнул стол, и крольчонок проснулся. Не было у него, конечно, никаких четырех ушей, а только свои два уха. А другие два уха это были кончики платка, повязанного вокруг головы.

— Добрый вечер, козлик! — обрадовался Горошек. — Как хорошо, что ты пришёл ко мне в гости.

— Почему у тебя одно ухо больше другого? — удивился козлик.

Крольчонок притронулся к уху лапкой.

— Это всё из-за пчелы. Столько их тут летает, просто ужас! Кто-то идёт!..

Это были котята — Филек и Бамбошек. Козлик осмотрел ухо, как доктор. Он покрутил головой, подумал и наконец сказал:

— Надо заварить кашку и поставить тебе на распухшее ухо компресс. Так всегда советует моя мама. Идите, котята, принесите кашку, а я помогу кролику приготовить ужин.

Котята ушли. Долго их не было, но вот они вернулись. На блюде они несли пудинг из рисовой каши — румяный и ароматный пудинг с изюмом.

Трухтик только за голову схватился:

— Ай-ай-ай! Да ведь я же велел принести вам совсем другую кашку — растение, из которого делают компресс. Все его знают.

Котята покрутили мордочкой:

— А мы не знаем. Такая кашка будет, конечно, не хуже. Она очень сладкая.

Но козлик не стал их слушать, он пошёл в поле, нарвал кашки и поставил крольчонку компресс.

Тот сразу повеселел. Компресс был такой хороший, что ухо перестало болеть. А пудинг он разрезал на кусочки.

— Садитесь. Будем ужинать.

Новая крыша

Лекарство помогло: весь следующий день крольчонок, весело потряхивая ушами, поливал грядки. Вдруг он увидел на дорожке козлика. Идёт медленно, на голове у него что-то тяжёлое.

— Что ты несёшь? — поинтересовался крольчонок.

Козлик положил свою ношу на землю и вздохнул:

— Это дверь для твоего дома. Смотри, какая крепкая.

— Как это дверь? — удивился Горошек. — Ведь ты собирался сделать мне крышу. Ты забыл?

— Крышу я сделаю потом. Можешь не беспокоиться. А пока вот тебе дверь. Чтоб вор к тебе не забрался, понимаешь?

— Не понимаю, — пробурчал Горошек в ответ, и нос у него задвигался от возмущения. — Вор всё равно заберётся в шалаш, если нет крыши. Об этом ты не подумал?

Но козлик не желал думать об этом. Он любовался своей работой.

— Вор? Если вор увидит, что дверь заперта на засов, он не полезет. Понял?

Крольчонок перестал шевелить носом:

— Ладно. Раз ты такой упрямый, ставь дверь. А я пойду отнесу лейку Филеку.

Козлик крикнул ему вслед:

— Когда вернёшься, у тебя будет крыша!

Горошек ушёл рассерженный и даже не заметил, что взял вместо лейки подсолнечник, который обещал бельчатам.

Лишь подойдя к домику, где жили котята, он обнаружил свою ошибку.

— Никто на свете не умеет поливать грядки из подсолнечника, — буркнул крольчонок. — Что я скажу котятам? Может, их дома нету?

Котят и в самом деле не было дома. На двери висел большой замок.

— Вот какой случай! — сказал повеселевший Горошек. И тут же вспомнил о козлике:

«Зря я на него рассердился. Он там работает, надрывается. Приглашу-ка я его на ужин и скажу ему что-нибудь приятное».

Но, подойдя к шалашу, Горошек так удивился, что позабыл о том, что собирался сказать козлёнку. Он увидел на шалаше новую крышу. Из сена.

На крыше стоял козлик, он что-то привязывал и прибивал.

— Оооо! — воскликнул в удивлении Горошек. — А почему ты сделал её не из листьев?

Козлик спрыгнул на землю.

— Я побоялся, что если сделаю крышу из капустных листьев, то снова её съем. А сено я ем только зимой. Будь спокоен: твоей крыши никто не тронет.

Горошек ничего не ответил, только слегка наморщил нос. Козлик это заметил:

— Не сердись, пожалуйста. Сено — оно мягкое, и дождик не будет барабанить по крыше.

— Жаль, — проворчал Горошек. — Я люблю, когда дождик барабанит по крыше. Мне снится тогда хороший сон. Не буду говорить тебе какой — я очень не люблю рассказывать сны.

Но козлик не огорчился:

— Под этой крышей сны у тебя будут во сто раз, а может, и в тысячу раз интереснее. Вот увидишь.

ЧТО СНИЛОСЬ КРОЛИКУ

Трухтик оказался прав: Горошку снилось, что он индеец, что на голове у него разноцветные перья, что в руке у него большой лук и что он охотится на дикого зверя. Он крадётся сквозь кусты, и веточки щекочут ему нос. А из чащи доносится топот, шум, и слышится голос:

— Иии — ха-ха-ха!

Крольчонок, который был индейцем по имени Волчий Коготь, натянул лук.

— Это дикий зверь надо мной смеётся! Сейчас он замолкнет!

Горошек хотел было пустить стрелу, но что-то мягкое упало ему на голову. Крольчонок проснулся. Сверху сыпалось сено, а крыша исчезла. Над шалашом покачивалась большая лошадиная морда.

— Прочь, дикий зверь! — закричал крольчонок, которому казалось, что это всё ещё индейский сон. И он принялся искать лук. Но лошадь спокойно дожевала сено и посмотрела на Горошка.

Горошек вскочил с постели и крикнул:

— Это ужасно! Ведь Трухтик обещал, что сена никто не тронет!

— Трухтик ошибся, — ответила лошадь. — Я съем любое сено. Вижу, впрочем, что насорила в квартире. Сейчас приберу.

Лошадь просунула голову в шалаш и осторожно подобрала стебельки, упавшие на кровать и на стол.

— Что теперь будет? — крикнул в отчаянии Горошек.

Лошадь подумала и ответила:

— Тебе надо сделать невкусную крышу. Какую, я пока не знаю. Я подумаю и приду к тебе завтра или послезавтра. Спасибо за завтрак. Прошу прощения. Я не хотела тебя огорчить. Кто мог знать, что такая штука с сеном наверху — твой дом?..

Лошадь ушла, а Горошек уселся и стал смотреть в небо. И увидел тучу — небольшую, но тёмную.

— Будет, пожалуй, дождь, — решил Горошек.

Туча прошла над шалашом, уронила несколько капель на крольчонка и скрылась.

Настроение у Горошка испортилось. Он рассердился на лошадь, на козлика и на дождь. Схватил тряпку, стал вытирать мокрый стол.

Тут появилась белка Барбашка.

— Слушай, Горошек, завтра на берегу пруда — праздник. Лягушки тебя приглашают. Придёшь?

Кролик почувствовал, что злость у него прошла, но ещё не совсем, и ответил:

— Может, приду, а может, не приду.

— Советую прийти! — крикнула Барбашка и убежала.

ЗЕЛЁНЫЙ ПРАЗДНИК

Не случалось ещё крольчонку бывать на лягушачьем балу. Он почистил шёрстку, нарвал цветов в саду и пошёл на праздник. На тропке под берёзами он встретил Барбашку. Она тоже торопилась к пруду. На голове у неё покачивалась большая зелёная шляпа.

— Это что, бал-маскарад? — спросил Горошек.

— Нет, — ответила Барбашка, — но я всегда так одеваюсь, когда иду к лягушкам.

— Почему? — удивился Горошек.

Но белка не успела ответить — к ней под-
бежал старший бельчонок и шепнул что-то на
ухо.

Барбашка извинилась перед кроликом:

— Придётся возвращаться домой. Надо
укачать младшего сына: проснулся и капризничает.

Кролик отправился к пруду один. Лягушки высыпали ему навстречу, и кто-то из них с огорчением сказал:

— Кролик, ты забыл про одну вещь. Может случиться несчастье.

— Почему несчастье? — спросил кролик. — Из-за меня? Почему вы все на меня так смотрите? Шёрстка у меня грязная? Или, может, я потерял хвостик?

— Нет, хвостик у тебя на месте, — хором ответили лягушки. — И шёрстка у тебя чистая, только... только жалко, что не зелёная.

— Не зелёная? — страшно удивился Горошек. — Зелёных кроликов не бывает.

— Погоди-ка! — одна из лягушек убежала куда-то и через минуту явилась с большим зелёным зонтиком. Протянула его крольчонку:

— Под зонтиком он тебя не заметит.

— Кто «он»?

— Аист. Видишь, вон кружит над лужайкой.

— Я не боюсь аиста. Он мне ничего не сделает.

— Тебе нет, — объяснила лягушка. — Но аисту захочется разглядеть поближе беленькое на лужайке — твою шкурку. Тогда он увидит нас, и может случиться несчастье, понятно?

Горошек кивнул.

— Теперь я понимаю, почему Барбашка надела зелёную шляпу.

И он принялся размышлять о том, что сказала лягушка:

«Если б у меня была зелёная шёрстка, меня б, наверно, и звали-то по-другому. Может быть, Зелёный Горошек?»

И крольчонок вздохнул. Не раз появлялось у него желание быть другим, но он никому об этом не рассказывал. И лягушки не знали, о чём он думал, когда сидел за столом, ел и смеялся под зелёным зонтиком.

СЮРПРИЗ

Горошек вернулся с бала и лёг спать. Но заснуть не мог, а лежал, смотрел на луну и считал звёзды. Ему хотелось сочинить сказку о луне.

«Расскажу ее детям Барбашки. Не забыть бы только эту сказку до утра, ведь утром не будет уже ни звёзд, ни луны, будут только солнце и облака. И придётся сочинять тогда сказку про солнце».

Крольчонок заснул утром под пение петуха. Проснулся в плохом настроении — лунная сказка вылетела у него из головы. Но и облаков он не увидел, потому что небо закрывала... крыша. В ту же минуту в шалаш просунулись две головы: козлёнка и лошади.

— Вставай скорее! — крикнул Трухтик. — Вставай, погляди, что сделали мы вдвоём: я и лошадь.

Крольчонок вылез наружу и обошёл шалаш. Да, крыша и в самом деле была новая, вся из сосновых веток.

— Она так и останется? Никто её не съест? — спросил крольчонок и понюхал сосновую лапу.

Лошадь помотала своей большой головой:

— Я не съем, можешь быть спокоен.

— Я тоже не трону, — заверил крольчонка козлик. — Ты только погляди, сколько шишек на твоей крыше.

Крольчонок посмотрел внимательно на крышу. Действительно, шишек было много.

— Большое вам спасибо. Представляю, сколько вам пришлось потрудиться. Это ты, лошадь, лазала на сосну, чтоб нарвать веток?

Лошадь расхохоталась.

— Понимаю, — понимающе сказал крольчонок. — Сосна обломится под тобой. Лазал, конечно, козлик.

Но козлик заявил, что лазал не он.

— Я бы, разумеется, мог это сделать сам, если б захотел, но я этого не сделал. Буря повалила сосну на лесной опушке. Вот я и вспомнил про тебя. Я стал обламывать ветки. А лошадь мне помогла.

Тут лошадь снова расхохоталась:

— Всё было по-другому, козлик. Это я увидела первая сосну и стала обламывать ветки, а ты мне помогал. Спорить, впрочем, не стоит.

Трухтик сделал вид, будто не слышит, и потрусил в сад. Он сорвал там большую мальву и воткнул её в крышу.

— Признавайся, видал ты когда-нибудь лучше шалаш? — спросил козлик.

Горошек покрутил головой.

— Только б опять чего не случилось...

Гроза

Горошек отправился на прогулку. Сияло солнце, но он поглядел на небо и подумал: «Не было б дождя. Терпеть не могу ходить с мокрой шкуркой, а зонтик я забыл дома».

На повороте тропинки ему встретился утёнок под зонтиком.

— Меня зовут Шлёп, — представился утёнок. — Знаешь, почему меня так зовут? Потому что я люблю шлёпать по лужам.

Кролик покосился на его зонтик.

— Любишь шлёпать, а сам боишься дождя? Не понимаю...

— Это зонтик от солнца, — объяснил утёнок. — Сегодня очень жарко.

Шли они так вдвоём и рассуждали. На следующем повороте им встретился лягушонок. Тоже под зонтиком. Лягушонок мучился от солнца ещё больше, чем Шлёп. Лягушонок ничего не сказал. Он горько раскаивался, что вышел сегодня из своего прохладного дома на берегу пруда.

— Какое огромное это солнце, — вздохнул лягушонок, — могло б быть и поменьше — как ночная звёздочка.

— Жаль, что оно не такое, как ситечко от лейки, — сказал утёнок. — Пусть бы капала из него водичка.

А крольчонок то и дело поглядывал на небо. Он первый увидел, что над лесом встаёт тёмная туча. Туча все росла, росла. И так набухла, что заурчала. Сперва тихо, потом погромче.

Горошек расстроился:

— Ой, как плохо, будет дождь!

А утёнок обрадовался:

— Будет дождь! Ах, как хорошо!

Лягушонок обрадовался ещё больше и запел:

Дождик, дождик, лей и капай!
Мы кричим и машем лапой!

— А я не буду ни петь, ни танцевать, — пробурчал Горошек. — Вам хорошо, у вас зонтики, а я свой дома оставил.

— Не расстраивайся, — сказал лягушонок. Но больше не успел ничего сказать, потому что туча оглушительно зарычала, сверкнула молния и хлынул дождь.

— Горошек, возьми мой зонтик! — крикнул лягушонок.

— Возьми и мой, — крикнул утёнок.

Лягушонок и утёнок выскочили на середину дорожки под дождь.

Лягушонок пустился в пляс, а утенок шёл, весело переваливаясь на своих коротеньких ножках. Оба радовались, что их поливает дождь.

И крольчонок тоже радовался. Стоя под двумя зонтиками, он пел во всё горло:

Бурей да грозою
что меня пугать?
Зонтик я открою —
то-то благодать!

НОВЫЙ ГОСТЬ

В сад явился слон. Он никому не понравился.

— Очень уж он большой, — сказала недовольная Барбашка.

— И потом он не умеет тихо ходить, — заметил Филек. — Он шёл утром через мостик, а я подумал, что это гром гремит.

— Боюсь, как бы он не потоптал мои грядки, — забеспокоился Горошек. — Я только что закончил прополку. Ну и попыхтел же я!

— А нос! Вы заметили, какой у него нос? — крикнул козлик. — Как примется нюхать сирень, так для нас никакого запаха не останется.

— Посмотрим, может, всё это не так страшно, — попыталась утешить друзей Барбашка. — Что заранее огорчаться?

И каждый отправился по своим делам.

— Что ж, посмотрим, — сказали на это котята и принялись дружно развешивать бельё — они только что закончили большую стирку.

Слон топтался за калиткой. Он стоял спиной к саду и помахивал своим куцым хвостиком то вправо, то влево. Уши у него тоже шевелились, может, потому что был ветер.

Ветер налетел на бельё, развешанное на верёвке. Взвились носовые платки, пёстрая скатерть захлопала, как парус, взлетела и повисла на каштане.

Козлик помчался собирать платки, Бамбошек принялся привязывать верёвку, которую сорвал ветер.

А Филек стоял под каштаном, уставившись на скатерть, повисшую высоко на ветвях. Стоял, смотрел и думал:

«Можно, конечно, забраться на дерево, но я ужасно не люблю спускаться — голова кружится. Как назло, нигде нет Барбашки. Уж она б помогла».

А скатерть хлопала на ветру, готовая взвиться вверх и полететь дальше. Тогда никто её не найдёт.

Вдруг слон открыл калитку, подошёл к каштану, стянул хоботом скатерть и сказал:

— В другой раз прикрепите бельё к верёвке зажимами: если ветер забросит скатерть на сосну, мне не дотянуться.

— Вот спасибо, — сказал Филек, и стало ему очень стыдно. Он вспомнил, как недавно сказал про слона, что тот громко топает.

Слон собрался уходить, но Филек его остановил:

— Приходи к нам на полдник. Посмотришь, как мы живём.

Слон отправился вместе с Филеком к его дому, но не смог туда войти — дом оказался слишком маленьким. Тогда Филек распахнул окно, а Бамбошек поставил на подоконник поднос с угощением для слона.

СЛОН ПОЛИВАЕТ ГРЯДКИ

Теперь уже никто не говорил, что слон чересчур большой, что он громко топает. Если б не слон, скатерть висела бы до сих пор на каштане или улетела куда-нибудь за тридевять земель. А Горошек вскоре узнал, что слон и не то умеет.

Горошек сидел на траве и отдыхал. Он сел спиной к своим грядкам, он не в силах был смотреть, как анютины глазки изнывают от жажды, а салат вянет. Но крольчонку не хотелось ничем заниматься. Было ему жарко, и он мечтал о дожде.

«Ах, если б пошёл дождик и полил мои цветочки...»

Но на небе не было ни тучки, одни только белые облака.

«Спою-ка я песенку о дожде, а потом полью грядки», — подумал крольчонок и запел:

Дождик, дождик, где же ты?
Лейся струйкой, звонкой!
Отрастают, как листы,
Уши у крольчонка.

Крольчонок пропел песенку два раза. Очень ему хотелось, чтоб уши у него стали побольше, чтоб торчали они из-за забора, словно подсолнухи.

На душе у него стало легко, и он уснул. Ему приснилось, что дождик поливает его грядки, а ему, кролику, не надо ничего делать.

И он почувствовал, как холодные капли падают ему на нос.

Тут крольчонок вскочил.

На дорожке стоял слон, и из его хобота вода лилась прямо на Горошка.

— Я услышал твою песенку и полил тебе уши, — сказал, смеясь, слон. — Ты доволен?

— Я весь мокрый... — проворчал Горошек и стряхнул воду с ушей.

Потом он взглянул на свои грядки. Листья салата были свежие и влажные, с анютиных глазок стекала каплями вода. Но в небе плавали всё те же белые облака, и Горошек понял, что это не облака полили его грядки.

— Это ты был дождиком для моих цветов и для салата? — спросил крольчонок, и слон закивал в ответ своей огромной головой.

— Я... А ты пел в своей песенке про уши.

— Ах, отстань, пожалуйста, — проворчал крольчонок и почувствовал, как нос у него зашевелился. Слон это заметил.

— Не расстраивайся, — сказал слон. — Если хочешь, помоги мне полить грядки Филека и Бамбошека. Они поехали в город и вернутся не раньше вечера.

— Отлично! — воскликнул крольчонок и схватил лейку. Ему казалось, что его уши растут, растут и развеваются на ветру, как большие листья.

ПУТЕШЕСТВИЕ НА ОСТРОВ

Филек и Бамбошек построили лодку с парусом.

— Мы поплывём на необитаемый остров. Поехали с нами, — предложили они Горошку.

Крольчонок очень обрадовался — ни разу ещё не случалось ему бывать на необитаемом острове. Потом пришёл утёнок и тоже забрался в лодку.

А когда Филек отцепил цепь, с ветки соскочила Барбашка.

— Я с вами! — крикнула она и сразу — за руль. — На острове я буду скакать, бегать и кувыркаться, как в цирке. Будет очень весело.

— Вот и отлично! — обрадовались котята. — Мы захватили гитару. Потанцуем, попоём. Но твоё цирковое представление — это

будет, наверно, самое интересное. Как хорошо, что ты поехала с нами.

Утёнок свесился за борт, вытянул шею и стал то одним глазом, то другим присматриваться к воде. А потом начал беспокойно крутиться в лодке. И вдруг — плюх! Прыгнул в воду.

— Утонет! — крикнула Барбашка и кинулась его спасать, но Горошек её остановил:

— Не утонет, не бойся. Но в лодку он уже не вернётся: увидел, наверное, в воде улиток. Уж я его знаю.

— Забыл, что он в нашей лодке спасатель, — сказала с возмущением Барбашка.

— Ничего не поделаешь, — вздохнул Бамбошек. — К счастью, нас четверо. Нам всё равно будет весело.

Лодка причалила к острову, все вышли на берег. Побрели по лесу. Барбашка, подпрыгивая, бежала впереди, только хвост у неё развевался. И вдруг пропала — и хвост, и Барбашка.

— Она играет с нами в прятки, — догадался Горошек, но Филек только головой покрутил.

— Барбашка увидела высокие сосны и забыла про нас. Забыла про свои прыжки, кувырки. Ничего не поделаешь, будем веселиться втроём.

Но веселиться втроём было скучно. Котята то и дело смотрели в глубь леса: может, Барбашка вернётся?

Но она не вернулась. А когда вечером котята стали отвязывать лодку, к ним, весело подпрыгивая, подбежала Барбашка.

Филек не разрешил ей сесть в лодку:

— Ты забыла про нас. Где представление, которое ты собиралась для нас устроить? Оставайся на острове и прыгай сколько угодно!

И он принялся сталкивать лодку на воду, но Горошек его остановил. Впрочем, он ничего не сказал. Да и котята не произнесли больше ни слова.

А Барбашка забралась на скамейку и накрылась своим пушистым хвостом.

ЗаколДованная крыша

Горошек собирался в гости к Трухтику. Он стоял перед шалашом и думал, закрывать ли дверь на засов.

«Если закрою дверь и пойдёт дождь, то никто не сможет спрятаться в шалаше. Нет, не закрою».

Крольчонок застегнул свою нарядную безрукавку и глянул в небо. В небе — ни облачка. Крольчонок опять задумался:

«Дождя, конечно, не будет, а в шалаше я всё прибрал. Явится какой-нибудь неряха, всё разбросает. Нет уж, закрою».

И закрыл дверь на засов.

В гостях у Трухтика было очень весело. Горошек помогал котятам плести корзины и мотать шерсть. Когда он возвращался, наступила ночь. Поднялся холодный ветер. Горошек прижал уши и вспомнил о своём запертом шалаше.

«Может, кто-нибудь замёрз больше моего, жмётся на ветру, а спрятаться некуда: шалаш закрыт».

Ещё несколько шагов — и крольчонок остановился как вкопанный. Странное дело — в шалаше горел свет.

Оттуда доносилась чья-то песенка.

Но самым поразительным оказалось то, что шалаш был всё-таки заперт: никто не притрагивался к засову.

Огорчился крольчонок.

— Наверно, я заблудился, и это не мой шалаш. Нет, нет! Шалаш, конечно, мой.

Тут Горошек испугался. Навострил уши, осторожно отодвинул засов и заглянул в шалаш. В шалаше были гости, множество гостей: старики-лесовики — бородатые, усатые!

— Как вы сюда попали? — крикнул Горошек, а лесовики ответили хором:

— Мы спрыгнули с крыши!

Горошек задрал голову. На сосновых ветках не осталось ни одной шишки. Зато по шалашу разгуливали старики-лесовики, постукивая своими палками-клюками, дымили трубками и весело напевали.

— Наверно, это сон. А может, колдовство!.. — воскликнул Горошек.

— Колдовство не колдовство... А вот послушай-ка песенку... — сказал старичок, у которого была самая длинная борода. И лесовики хором запели:

Погляди, как много сосен!
А на соснах — шишки в ряд.
Старики-лесовики
В этих шишках спят.

Спят они и снов не видят!
Но когда пора придёт,
Бороды они расправят,
Длинных сто бород!

Загудит, застонет чаща —
Крики, смех, переполох.
Старики-лесовики
Поскакали в мох.

«Ах, как славно мы поспали!
Больше спать невмочь».
И, бренча своей клюкою,
Ковыляют прочь.

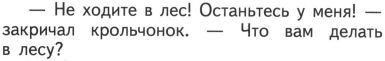

— Не ходите в лес! Останьтесь у меня! —
закричал крольчонок. — Что вам делать
в лесу?

Но бородачи-лесовики запели снова:

Домик для жуков построим,
Сказку им споём.
И улиток мы укроем
В чаще жарким днём.

Мы ежонка на прогулки
Станем выводить.
Мухоморам в закоулке
Будем шляпы шить.

И — стук-стук — стали друг за друж-
кой выходить бородачи из шалаша.
Скрылись... И только на прощание
помахали издалека шапками.

Крольчонок смотрел им вслед, потом вернулся в шалаш и подумал:

«Разные были у меня крыши.
Одну съел козлик, другую — лошадь, а третья... третья крыша

была, наверно, волшебная. А может, всё это мне приснилось?»

В ГОСТЯХ У БАРБАШКИ

Горошек забрался на крышу и стал внимательно её рассматривать. Может, между ветками укрылась хоть одна шишка, может, есть ещё последний старик-лесовик? Может, он останется с крольчонком и не уйдёт в лес, как остальные.

— Никого... — вздохнул Горошек и отряхнул шёрстку от хвои. И стало ему грустно. Взял он с собой три своих воздушных шарика и отправился к Барбашке. Впрочем, он не был уверен, что отыщет её в лесу.

«Барбашкин дом — дупло на сосне. Но все сосны одинаковые, хотя Барбашка говорит, что они разные. Пусть даже я её отыщу... Как мне залезть на такую высотищу? Этого Барбашка мне не объяснила».

Вскоре послышался весёлый писк. Из дупла высунулись три рыжие мордочки.

— Сюда, сюда! Забирайся по лестнице! — кричали дети Барбашки.

Лестницей они называли сломанное бурей и привалившееся к сосне дерево. Крольчонок забрался в их беличий дом, поздоровался, и бельчата сообщили ему, как их зовут: Фригас, Мигас и Фарамушка.

Барбашка поставила на стол ореховый торт, ореховые пирожные и зелёную травку в салатнице.

— Это салат из заячьей капусты. Для тебя лично, Горошек. Знаю, ты это любишь.

Бельчата съели уже половину торта, а крольчонок половину салата, когда вдалеке прогрохотал гром. Сильный ветер стал раскачивать дерево вместе с дуплом. Крольчонок зажмурился. Он почувствовал, что нос у него шевелится от страха, и прикрыл его лапкой. В ту же минуту он услышал шум дождя и открыл глаза. Он любил этот шум.

— Очень мне нравится дождик, если вода не течёт мне на голову, — сказал крольчонок. Бельчата тоже радовались.

— Теперь тебе домой не уйти. Давай играть! Лучше всего в прятки.

Но мама сказала, что для пряток места маловато и что лучше всего поиграть в загадки. Первую загадку придумал Фригас:

Шапки нет на голове,
Но на ушках кисти две.

Стоило крольчонку посмотреть на беличью семейку, как он догадался:

— Это белка! Теперь загадку загадаю я:

Головы четыре, четыре хвоста
Крутятся, вертятся неспроста.

— Дракон! Это может быть только дракон! — закричали бельчата.

Но кролик помотал головой.

— Это ваша семья. Что, разве не так?

Загадка очень понравилась бельчатам, и они хотели придумать новую, но дождь уже кончился.

Барбашка выглянула из дупла и огорчилась: лестницы не было. Сломанное дерево сдвинулось во время грозы и свалилось в траву.

— Я знаю, как помочь кролику! — крикнул Мигас. — Надо сделать канат.

— Из чего? — удивился крольчонок.

— Из нас. Вся семья возмётся за хвосты, и Горошек спустится вниз.

Так и сделали: Барбашка ухватилась лапками за порог своего жилища, Фригас ухватился за её хвост, Мигас ухватился за хвост Фригаса, а Фарамушка — за хвост Мигаса. Крольчонок спускался всё ниже и ниже и наконец крикнул:

— Последний хвост кончился. Как теперь быть?

Бельчата повторили то же самое снова, и крольчонок, взвизгнув, спрыгнул на землю. Он прикрыл нос лапкой, чтоб никто не заметил, что он шевелится у него от страха после этого необыкновенного приключения.

Прощаясь, Горошек сказал:

— Очень умные у тебя дети, Барбашка.

Нежданные гости

Крольчонок возвращался домой от Барбашки. В лесу было очень сыро после грозы. Шубка у него намокла. Когда он задевал за куст, капли воды попадали в уши. Крольчонку было это неприятно, и он обрадовался, увидев свой шалаш. А в шалаше — опять посетители!

— Не помню, чтоб я приглашал сегодня кого-то в гости, — удивился Горошек.

В шалаше его встретили оба котёнка и козлик. Был и новый гость: ёжик. А в самом углу сидела курица Шурпатка, большая, взъерошенная.

— Наверно, сегодня у меня день рождения, а я позабыл, — сказал Горошек.

— Никакой у тебя не день рождения, — отозвался козлик Трухтик. — Мы спрятались от дождя. Сердишься?

Ёжик, который пришёл в гости к Горошку впервые, приоткрыл дверь чуланчика и втянул носом вкусный запах. Он обернулся к крольчонку:

— Если хочешь, устрой так, будто сегодня твой день рождения. Смотри, сколько у тебя гостей.

Горошек почувствовал, что он и сам проголодался, и, рассмеявшись, сказал:

— Ладно.

Тогда ёжик распахнул во всю ширь дверь в чулан и стал доставать тарелки, кружки и разные лакомства, от которых шёл такой вкусный запах.

Горошек принялся считать гостей:

— Трухтик, Бамбошек, Филек, ёжик — четверо, Шурпатка — пятая.

Тут Шурпатка беспокойно закудахтала:

— Ты что, Горошек, думаешь, я одна?

Она встала, приподняла крылья, и из-под крыльев высыпала целая орава её жёлтеньких ребятишек.

— О! — вырвалось у крольчонка. — Пойду попрошу у кого-нибудь тарелок.

— Не нужно, — сказала Шурпатка. — Ребятишки у меня ещё маленькие и любят есть из одной тарелки.

Крольчонок поставил тарелку для цыплят прямо на пол. Шурпатка строго сказала детям:

— Не ссорьтесь и не залезайте в тарелку с ногами!

Невидимая земляника

Козлик Трухтик спросил у своей мамы:
— Можно мне пойти покачаться на качелях?

— Потом, — ответила ему мама. — Подмети сперва двор.

Козлику не хотелось подметать двор, и он долго искал метлу там, где её не было. Ему очень хотелось, чтоб метла не нашлась.

Но мама сама принесла метлу.

— Только не пыли, — предупредила мама. — А метлу поставишь потом в сени.

Козлик подмёл пол, но метлу оставил около колодца.

Он отправился на качели, распевая по дороге весёлую песенку о козлятах. Но внезапно песенка оборвалась, потому что козлик увидел: качели сломаны.

Столяр, которого звали Крутка Брудка, обстругивал новую доску для качелей. Он сказал козлику, что качели будут готовы только к вечеру.

Настроение у козлика испортилось. И захотелось ему выкинуть какую-нибудь штуку.

«Что же мне такое выкинуть...» — задумался козлик и отправился в лес.

На полянке он встретил Бамбошека с большим кувшином. Бамбошек собирал землянику.

— Знаешь, качелей больше нет. Качели сломались, — заявил козлик, радуясь про себя, что котёнок огорчится.

Но Бамбошек не огорчился:

44

— Что мне качели! Земляника важнее. Погляди, сколько я набрал.

Козлик заглянул в кувшин, а котёнок продолжал:

— Вот отдохну немного — и домой. Если хочешь, можно вернуться вместе.

Они улеглись в тени, и Бамбошек задремал. А у Трухтика настроение испортилось ещё больше. Не хотелось ему возвращаться домой вместе с Бамбошеком. Он взял кувшин, отошёл в сторонку, высыпал землянику в траву, а в кувшин наложил листьев и поставил его на прежнее место. Потом Трухтик ушёл.

После некоторого времени, когда Бамбошек проснулся, козлика уже не было.

«Может, козлик мне приснился», — подумал котёнок и взял кувшин. Он свернул на тропинку, ведущую к шалашу крольчонка. Подошёл к шалашу и услышал, что Горошек беседует с Трухтиком.

Бамбошек подал кувшин крольчонку.

— Я принёс тебе земляники — мне говорили, что вечером у тебя будут гости.

И Бамбошек отправился домой. А крольчонок снял листья и заглянул в кувшин. Наклонил его, потом заглянул снова.

— Вот странно! Бамбошек насобирал невидимой земляники. Смотри!

Но козлика и след простыл — только на тропке слышался топот его копытец.

— Почему он сбежал? — проворчал Горошек. — И почему Бамбошек подарил мне пустой кувшин?

Через час козлик вернулся с корзиночкой, прикрытой листьями. Он подал её крольчонку:

— Должен тебе сказать, Горошек, что земляника стала невидимой... из-за меня.

— Ты что, заколдовал её, что ли? — спросил Горошек, но Трухтик прикинулся, будто не слышит:

— Не будем об этом. Колдовство было глупое.

Козлик снял поскорей листья с корзиночки. Горошек стал рассматривать ягоды и даже их понюхал.

— Да, они видимые. И хорошо пахнут.

Дом на кошачьих лапках

Белочка Фарамушка заблудилась в лесу. Она была такая маленькая — меньше всех других детей Барбашки. Она села под можжевельник и громко заплакала. Там и нашёл её Горошек, который отправился в лес нарвать заячьей капусты.

— Не плачь. Сейчас мы найдём твой дом. Он, наверное, близко.

Но оказалось, что беличий дом не близко. Горошек и Фарамушка ходили взад и вперёд, сворачивали то направо, то налево, потом снова налево, но найти дупла так и не смогли. Крольчонок очень устал, а белочка ещё больше.

— Я хочу есть, — жалобно сказала Фарамушка.

Горошек заглянул в корзиночку, но в корзиночке ничего не было.

— Сейчас мы нарвём орешков, не плачь, — стал утешать Горошек Фарамушку.

Орешков они не нашли, зато увидели на полянке домик на кошачьих лапках. Крольчонок обрадовался:

— Это хатка Филека и Бамбошека. Только б они были дома!

К счастью, котята никуда не отлучались. Филек, надев на себя огромный фартук, чистил сковородки, а Бамбошек чинил сапог.

Уютно было в домике у котят: по стенам развешаны картинки, на окнах — чистые занавески.

Филек заглянул в буфет, забренчал крышками, но ничего подходящего для белочки не обнаружил.

— Погоди, сейчас у тебя будет то, что ты любишь, — таинственно произнёс Филек. Он стал посреди комнаты, зажмурился и заурчал:

Лапка, лапка, шевелись —
Брысь, брысь — брысь, брысь.
Там есть куст впереди,
Ты туда и бреди.

Закрутилась, завертелась хатка на кошачьих лапках и пошла себе потихоньку да полегоньку.

Шла, шла да и остановилась. Когда котята открыли дверь, Фарамушка вскрикнула от удивления.

Хатка остановилась под кустом, на котором росло великое множество крупных орехов. Белочка запрыгала, забегала между ветвями, а котята уселись на пороге, радуясь, что у Фарамушки есть её любимое лакомство.

Когда Фарамушка вернулась, Филек заурчал снова:

Лапка, лапка, шевелись —
Брысь, брысь — брысь, брысь.
Есть лужок впереди,
Ты туда и бреди.

И хатка тихим кошачьим шагом пришла на полянку, усеянную желтоголовым осотом.

— Угощайся, крольчонок, — сказал Бамбошек. — И набери себе в корзиночку сколько хочешь.

Когда крольчонок покинул эту замечательную полянку, нос у него был жёлтый, а из корзиночки торчали сочные листья.

— Теперь что-нибудь для нас, — попросил Бамбошек.

Лапка, лапка, шевелись —
Брысь, брысь — брысь, брысь.
Ты ступай в те леса,
Где растёт колбаса.

Сосиски росли невысоко — на кусте. Котята лакомились, а Горошек и Фарамушка сидели на пороге хатки и радовались, глядя на них.

Много сосисок съели котята, а Бамбошек, наверное, объелся, потому что шёл очень медленно и не сказал больше ни слова.

— Возвращаемся! — крикнул Филек.

Лапка лапка, шевелись —
Брысь, брысь — брысь, брысь!

Торопись туда,
Где стоишь всегда.

И хатка тихим кошачьим шагом вернулась на своё прежнее место.

ПёСТРые ШаРики

Надвигалась гроза, и все разбежались по домам. Котята закрывали второпях окна. Налетел ветер, вдалеке загремел гром. Хлынул дождь.

Из окна котята увидели своего соседа, он не бежал от дождя, а весело шлёпал по лужам. Этим соседом был утёнок Шлёп.

— Выходите скорей во двор! Гроза кончилась. Сейчас будет радуга! — крикнул Шлёп.

Утёнок оказался прав. На облаке, напротив солнца, повисла разноцветная дуга. Один её конец упирался в лес, другой кончался где-то над лугом.

Бамбошек и Филек выбежали из дома. Им хотелось сосчитать цвета радуги, и они поспорили. А козлик Трухтик дул в небо и приговаривал:

— Давайте дуть все вместе, мы её сдуем!

Но радуга не упала. И тогда Бамбошек попросил Барбашку:

— Залезь на сосну и принеси её. Хоть маленький кусочек. У тебя это получится.

Но Барбашке было некогда. Сперва она долго искала мячик, который потеряли её ребятишки, а потом разводила мыльную пену в тазике и не интересовалась радугой.

Кролик смотрел в небо, и нос у него шевелился. Наконец он сказал:

— Если б я смог пройтись по радуге, я б тоже стал разноцветный. Вот было б здорово!

— Утёнок, наверное, там уже побывал! — крикнул Трухтик. — Глядите, какие у него перья!

Все посмотрели на молодого селезня. В самом деле зелёные и голубые перья на его шее переливались в солнечных лучах. Больше всего понравилось это бельчатам. Они стали приставать к матери:

— Мама, пусть он даст нам по пёрышку!

— Мама, если он нам не даст, купи нам цветной мячик, как тот, который на небе. Наш мячик потерялся... Мама, купи!

— Хорошо, хорошо, куплю, но не сегодня, — стала успокаивать своих детей Барбашка. Но бельчата были большие шалуны. Едва их мама отправилась к колодцу за водой, как они залезли в мыльную пену.

И тут появился слон. Он отстранил бельчат от таза и погрузил в него свой хобот.

— Не ешь этого! — крикнули перепуганные бельчата. — Задаст тебе мама, когда вернётся.

А слон поднял хобот вверх, и все увидели на конце разноцветный шарик — он увеличивался и увеличивался: вот он взмыл в воздух, за ним другой, третий.

Бельчата прыгали от восторга, а Горошек, козлик Трухтик и утёнок Шлёп следили, задрав головы, за шариками. Филек сунул лапку в таз. Ему захотелось выловить там хоть один пёстрый шарик. Но у него ничего не получалось, и он не мог понять, в чём дело.

Появилась Барбашка и от удивления расплескала воду из ведра.

— Мама, ты только погляди, — кричали бельчата, — слон сунул радугу в таз и делает из неё пёстрые шарики!

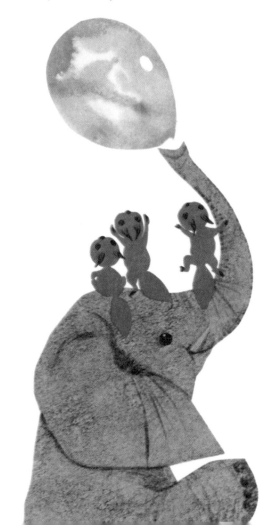

неУдачный день Кролика

Кролик проснулся в плохом настроении. Сам не мог понять почему. Ничто ему не нравилось: ни анютины глазки, которые расцвели на клумбе, ни новая корзинка — подарок Филека. Даже на утёнка, который чистил пёрышки, не хотелось ему смотреть. Крольчонок глянул в зеркало и закрыл глаза. Смотреть на самого себя он тоже не мог:

— Какие безобразные уши! Вот у Трухтика, например, уши что надо. И рога у него тоже есть. Небольшие, но красивые.

Кролик провёл лапкой по голове и совсем огорчился:

— Никогда у меня не будет рогов. Даже маленьких. А жаль!

Горошек снова выглянул во двор и снова увидел утёнка.

— Счастливчик этот Шлёп! В хвосте у него курчавое пёрышко, а у меня...

Крольчонок снова оглядел себя в зеркале и, вконец расстроенный, махнул лапой:

— Метёлка какая-то сзади! Пупырышек! Разве это хвост?

И вспомнился ему пышный хвост Барбашки. В ту же минуту он увидел, что большой Барбашкин хвост скачет в траве, а следом за ним скачут три маленьких хвостика.

— Присмотри за детьми, — попросила Барбашка кролика. — Мне надо сходить в магазин. А магазин далеко. Они обещали хорошо себя вести, неприятностей с ними не будет. Я скоро вернусь.

И она ушла.

А у Горошка сразу начались неприятности с бельчатами. Фригас заглянул в большой кувшин да и провалился, только хвост торчит наружу.

Пришлось кролику вытаскивать его из горлышка.

Мигас встал на задние лапки перед зеркалом и увидел, что перед ним стоит на задних лапках точно такой же бельчонок.

— Иди ко мне! — позвал его Мигас, рванулся вперёд и — бух! — ударился мордочкой о стекло. Расплакался.

— Не реви! Я расскажу тебе сказку, — стал успокаивать его кролик и принялся растирать шишку на голове.

Фарамушка открыла зонтик, прыгнула на постель и разбросала подушки.

В конце концов Горошек усадил всю троицу на траву и тут же придумал сказку, такую, чтоб можно было смеяться. Едва он её закончил и принялся размышлять, что бы такое рассказать ещё, как появилась Барбашка с корзиночкой.

— Спасибо тебе, Горошек. Хорошо ли вели себя мои ребята?

Не успел кролик ответить, как бельчата разом закричали:

— Мама, мама, купи мне такие длинные уши!

— Мама, дай мне большую пуговицу, которая у него на шёрстке!

— Мама, пусть он поменяется со мной хвостом!

Барбашка принялась успокаивать ребятишек, а кролику стало смешно. Он забыл, в каком скверном настроении он был сегодня утром и как всё ему не нравилось.

Когда беличья семейка отправилась домой, Горошек ещё раз глянул на себя в зеркало.

— Ну-ну, — произнёс он, — уши в самом деле не такие уж плохие. Не знаю, стоит ли мечтать о рогах. Хвост пусть такой и будет. Но было бы всё-таки нехудо, если б можно было обменяться с кем-нибудь на денёк хвостом или ушами.

Рога и Уши

На следующий день Трухтик и Горошек стояли у ручья и любовались своим отражением в воде. Кролик и думать забыл о том, как завидовал он вчера козлиным рожкам.

— Какие у тебя красивые уши, Горошек, — заметил козлик, которому хотелось сказать другу что-нибудь приятное. — Пожалуй, больше ни у кого нет таких ушей. Ни у котят, ни у Барбашки, ни...

Как раз в эту минуту Барбашка проходила по тропинке мимо ручья.

— Говорите, ни у кого нет больше таких ушей? Сейчас увидите... Пошли со мной.

И она привела их на лесную опушку. Там рос клевер. В клевере завтракало семейство зайцев.

— Видали? — вполголоса спросила Барбашка.

— Видали, — отозвался крольчонок и зашевелил носом. — Только... Ты что, считаешь, что серые уши красивее белых?

— Может, белые и красивее, но ни один заяц не согласится с тобой поменяться. Лиса сразу его в траве обнаружит.

Барбашка посмотрела на козлика:

— Тебе тоже, наверно, кажется, что ни у кого, кроме тебя, не бывает рогов, правда?

Козлик на это ничего не ответил — ему не хотелось хвастаться. За него ответил кролик:

— Ни за что не поверю, что у кого-то есть такие же рожки, как у нашего козлика.

— Сейчас увидишь.

И Барбашка, знавшая все тропинки в лесу, привела их на полянку.

— Только не шумите, не то он убежит, — предупредила белка. — Вон он... Траву щиплет.

Траву на полянке щипал оленёнок — стройный, весь коричневый, с маленькими рожками на голове.

— Я хочу посмотреть на него поближе, — прошептал козлик, но оленёнок, наверно, услышал — одним прыжком он скрылся в зарослях леса.

Когда они возвращались, Барбашка бежала впереди, помахивая своим пушистым хвостом.

Козлик сказал крольчонку:

— До чего ж умна эта Барбашка. Да и хвост у неё, наверно, самый пушистый во всём лесу.

Но кролик покрутил головой.

— Нет. Мне кажется, есть ещё кто-то, у кого тоже большой и пушистый хвост, не могу только вспомнить кто.

58

ПОЛДНИК с ежевикой

Горошек отправился в лес за ежевикой. Он поцарапал себе лапки о колючие кусты, но ежевики насобирал целую корзину. Крольчонок прикрыл корзину листьями и поставил её под кустом. Он сильно устал и, отыскав уютную ямку в тени, решил немного вздремнуть.

— Спать буду недолго, — сказал сам себе кролик. — Через минуту проснусь.

Пока он спал, ему казалось, что кто-то шелестит в траве, как раз в том месте, где он оставил корзинку. Не только шелестит, но ещё и сопит.

«Может, это ветер, а может, мне это приснилось», — подумал Горошек и не проснулся.

Большой косматый шмель загудел у него над ухом, и это его разбудило.

— Наверное, мне приснилось, что корзинка сопела, — сказал крольчонок. — Всякое может присниться.

Возвращаясь из леса, он пригласил козлика к себе на полдник.

— Это будет полдник с ежевикой. Обязательно приходи. Я приглашу и Барбашку.

Но Барбашка прийти не смогла. У неё дома было много всяких дел.

Зато котята явились первыми. Очень их заинтересовал полдник с ежевикой — на таком полднике они ещё никогда не бывали. И даже не представляли себе, как выглядит ежевика.

Крольчонок расставил на столе тарелки, принёс в кувшине молока — на тот случай, если оно кому-то понадобится. Потом Горошек снял с корзинки листья. Он смотрел, смотрел в корзинку, и нос у него шевелился всё быстрее и быстрее. Наконец Горошек крикнул:

— Откуда ты взялся?

Гости заглянули в корзинку. Никакой ежевики там не было. Там лежал усеянный колючками клубочек.

— Ого-го! Вот как выглядит ежевика, — с удивлением протянули котята.

— Это не ежевика, это ёж, — объяснил Горошек. — Дрыхнет и не знает, что на свете творится.

Но ёж проснулся и выбрался из корзинки. Он принялся расхаживать по столу, заглядывая в тарелки.

— Что ты сделал с моей ежевикой? — спросил кролик.

— Высыпал, — ответил ёж. — Она мне мешала. Но листья я оставил. Когда ж будет полдник? Так хочется есть...

Сердиться дольше кролик не мог:

— Будет, будет полдник. Перебирайся, ёжик, на стул.

Кролик стал доставать из буфета разные вкусные вещи, а гости тем временем рассматривали ежа. Котята не могли от него глаз оторвать. Филек спросил:

— Ежевика, это что, твоя дочка?

Ёж рассмеялся в ответ:

— Вот ещё! Мои дети совсем не похожи на ежевику!

СЛОМАННЫЙ МОСТИК

В саду созрели яблоки, и Горошек отправился за ними с корзинкой. У калитки ему встретилась Барбашка, тоже с корзинкой.

— О! — воскликнула белка. — Ты, наверное, в лес. Поможешь мне сделать запасы на зиму. Как удачно! Я собиралась нарвать орехов. А ты будешь собирать грибы.

Горошек не стал отказываться. Он подумал, что в лесу гораздо интересней, чем в саду.

А Барбашка побежала к кошачьему домику, пригласила котят, потом пригласила козлика. Вот уже Филек и Трухтик выходят из дверей с корзинками.

Позже всех притопал слон.

Дорога в лес вела через мостик. По мостику пробежала Барбашка, прошли козлик и Филек. А слон чуть поставил ногу — трах! Затрещали доски, и слон очутился в воде.

— Ай-ай-ай! — сказал перепуганный козлик. — Утонет наш слон!

— Не утонет, — успокоил его Горошек. — Разве ты не видишь, что вода ему по колено.

Слон стоял посреди ручья и смотрел с изумлением на провалившийся мост.

Тут прибежал Бамбошек.

— Перейди ручеёк вброд, — посоветовал ему козлик. — Вода тёплая.

Но Бамбошеку не хотелось мочить лапки, и он решил отправиться домой.

— Погоди, — сказал слон. — Мы и без мостика обойдёмся.

Он вытянул хобот, схватил Бамбошека и перенёс его на другой берег. Всем это очень понравилось, в особенности козлику.

— Ах! — воскликнул козлик. — Я забыл запереть дверь на ключ! Можешь перенести меня, как Бамбошека? Я сейчас вернусь.

Слон перенёс козлика. Но тот не торопился домой. Едва он очутился на другом берегу, он сказал:

— Я ошибся!.. Дверь я закрыл, просто ключ лежит у меня в другом кармане.

И слон перенёс козлика обратно.

— Больше, пожалуйста, ни о чём не вспоминай, — сказал слон. — Не то у меня лопнет терпение. Насчёт ключа ты просто выдумал, любишь качаться на качелях. Признавайся!

— Признаюсь, — не стал спорить козлик. — А слоновьи качели мне особенно нравятся.

Орехи и грибы собирать долго не пришлось, скоро корзинки были полные.

— Как ты перетаскаешь всё это в дупло? — спросил Филек у Барбашки.

И тут снова помог слон. Барбашка забралась в свою квартиру, а слон стал подавать ей одну корзинку за другой.

— Запасов хватит мне на целую зиму, — радовалась белочка. — Большое спасибо вам всем! Спасибо тебе, слон!

Но слона и след простыл: он отправился чинить мостик через речушку.

КЛУБОК ШЕРСТИ

Один за другим проходили тёплые летние дни. Но кролик не знал об этом, пока не заметил, что холодный ветер теребит ветки на крыше и гуляет по шалашу.

«По моему тельцу тоже гуляет ветер, — подумал Горошек. — Он задувает мне в шёрстку, а это не очень приятно. Вот если б у меня была безрукавка, тёплая шерстяная безрукавка!»

Стоило ему так подумать, как он увидел на тропинке около шалаша клубок шерсти — небольшой клубок, из которого торчала нитка, похожая на длинный хвостик.

Горошек подобрал клубок и принялся его рассматривать. У хвостика не было конца, он тянулся неведомо куда.

Горошек стал наматывать нитку на клубок. Он пошёл за ниткой, наматывал, наматывал, и клубок становился всё больше и больше.

«Из этой шерсти можно связать мне тёплую безрукавку, — подумал кролик. — Но этот клубок не мой. Кто-то его потерял. Может, это дети Барбашки и она ищет его повсюду и не может найти?»

Горошку не пришло в голову, что жилище Барбашки в другом конце леса.

«Посмотрим, куда приведёт меня нитка».

Она привела крольчонка к домику котят. Нитка лежала на пороге, прижатая дверью.

Горошек с клубком в руке постучал, и Филек открыл ему дверь.

— Я пришел к вам, потому что у вас должен быть другой конец нитки, — сказал Горошек.

— Да, да, он у нас! — обрадовался Филек. — Наверное, у Бамбошека в кармане. У него всегда клубок убегает.

Бамбошек дремал в кресле, а в лапках у него были вязальные спицы.

Нитка лежала под креслом и уходила в мышиную нору.

Из норки высунулась перепуганная мышь Гризельда и тут же призналась, что это она утащила клубок.

— Я хотела взять кусочек. На ленты для ребятишек. Но клубок укатился в открытые двери, и мне ничего не удалось оторвать. Я испугалась, что клубок удрал.

— А мы и не заметили, что он удрал, — сказал Филек. — Спасибо тебе, кролик, что ты его принёс.

Бамбошек оторвал большой кусок нитки и подал его Гризельде. Та пискнула от восторга: такой длинной нитки хватит на всю мышиную школу.

Кролик взял клубок, долго его рассматривал и наконец спросил:

— Вы что же, значит, вязать умеете?

Котята ответили, что на это они мастера.

— Если хочешь, Горошек, мы свяжем тебе тёплую безрукавку.

Тогда Горошек спросил с волнением, будет ли на безрукавке карман.

— Будут два кармана, — пообещали котята. — Сейчас мы снимем с тебя мерку, и безрукавка скоро будет готова.

Крольчонок простился с друзьями и вышел из домика. Ветер за порогом обдал его холодом, но Горошек ничего не почувствовал. Ему казалось, что на нём уже безрукавка, которую обещали ему котята.

Жилище ежа

В хмурый холодный день к Горошку явился ёж.

— Я ищу себе подходящую квартиру на зиму и хочу, чтоб ты мне помог.

— Я? — удивился крольчонок. — Да ведь ты лучше меня знаешь, какую квартиру тебе надо. Сумею ли я тебе помочь?

— Ещё как сумеешь! — заверил крольчонка ёж. — Видишь ли, когда я ищу один, мне никакое место в лесу не нравится. То берег слишком близко, то слишком далеко. Там ямка чересчур глубокая, здесь — пригорок великоват. Весь лес уже исходил. Помоги мне, пожалуйста.

В лесу они встретили Барбашку. Та выслушала ежа и сразу дала совет:

— Живи у меня. И тихо и тепло, сосна колышется вместе с ветром, ветер убаюкивает, будешь спокойно спать.

— Спокойно? — поморщился ёж. — Твоё дупло очень высоко, ты сама говоришь, что сосна на ветру колышется. Я к этому не привык. Не люблю, когда колышется. Спасибо, Барбашка, пойду искать другое жильё.

И ёжик отправился вместе с Горошком в лес. Меж деревьями бродила уже осень. Она смахивала листья с веток, напоминала пчёлам, что пора возвращаться в улей, отгоняла тучи, чтоб последняя запоздалая бабочка успела обогреть на солнышке крылья.

На лесной опушке рос огромный дуб. Крольчонку показалось, что здесь ежу будет хорошо.

— Погляди, сколько у дуба листьев. Когда они опадут, ты зароешься в них по самые уши.

Но ёж только рассмеялся:

— Наверное, ты не знаешь, что листья на дубе зимой не облетают. Ни одного не сбросит. Вот скряга! Уж я его знаю.

Они отправились дальше. Около самой высокой сосны крольчонок снова остановился.

— Здесь отличное место, ёжик. Ты только послушай, как шумит сосна. Всю зиму будет она тебя убаюкивать.

Но совет крольчонка ежу не понравился:

— Что из того, что шумит да поёт? Она тоже не сбрасывает иглы, а мне надо во что-нибудь зарыться.

Они погуляли ещё немного, но крольчонок не стал давать больше советов.

«Кажется, в этом деле я ничего не смыслю, — подумал раздосадованный кролик. — А может, ёжик капризничает?»

И вдруг ёжик воскликнул:

— Глянь, какой замечательный куст! И сколько листьев насыпалось тут с берёзы! Спасибо тебе, Горошек!

— За что это ты меня благодаришь? — удивился Горошек. — Ведь я не дал тебе ни одного дельного совета.

— Неважно, — ответил ёжик. — Без тебя я бы не понял, что это место — хорошее. Пришлось бы ещё искать да искать. Пойдём, я провожу тебя до опушки.

На опушке дул холодный ветер, плясали падающие листья.

Ёж попрощался с крольчонком:

— До свиданья, Горошек! До весны!

ЗИМНИЙ ДОМ

По дороге домой Горошек думал о холодном ветре, который задувает ему в шёрстку.

Думал он и о тёмных тучах, которые прогнали с неба белые пушистые облачка. Думал о себе:

«Не поискать ли мне жилья на зиму? Но где? Ведь я не могу зарыться в листья, как ёж. В листьях мне долго не выдержать. Зимой пойдёт снег. Я видел его из окна ещё тогда, когда жил в уголке у стола. И придёт мороз. Барбашка говорит, что мороз щиплет за нос. Интересно, как это бывает? Посоветоваться с кем-нибудь, что ли...»

Крольчонок отправился к котятам и поделился с ними своими заботами. Филек в это время законопачивал ватой щели в окнах. Горошек никак не мог понять, зачем он это делает.

— Чтобы ветер не пускать в комнату, — пояснил Филек. — А зимы бояться нечего. Только летний шалаш тебе надо сменить на зимний. Это нетрудно. Мы поможем. И окно сделаем, чтоб ты мог любоваться метелью.

В тот же день шалаш кролика был утеплён соломой, и крыша была сделана толстая, тоже соломенная. Стало внутри тепло и уютно. Ещё уютней сделалось вечером, когда котята прикатили печурку с трубой.

Долго разглядывал крольчонок эту печь — видеть такую ему приходилось впервые.

— А эта печь, она и в самом деле понадобится?

— Настанет зима — тогда увидишь, нужна печь или нет, — сказал Бамбошек. — Погоди немного.

Потом пришла Барбашка и давай восхищаться:

— Как у тебя хорошо стало! Настоящая зимняя квартира.

— Да, но зимы пока ещё нет, и неизвестно, когда она придёт. Ты и сама-то, наверно, зимы хорошенько не знаешь: спишь до весны, как ёж.

Барбашка покрутила головой.

— Посплю, посплю, а потом проснусь. Я знаю зиму.

Барбашка ушла, а Горошек стал любоваться своим домом, который стал теперь совсем другим.

— Переставлю-ка я всё внутри, — решил Горошек. Когда он это сделал, ему показалось, что он переехал на новую квартиру.

«Люблю переезды», — подумал крольчонок, послушал немного, как воет осенний ветер, и отправился спать.

ПЕЧЬ ДЫМИТ

Холодный осенний ветер трепал слоновьи уши и задувал в глаза. Слону это ужасно не нравилось.

«Ах, если б кто-нибудь натопил у себя печь да и пригласил меня в гости. Например, Филек и Бамбошек», — подумал слон и тут же спохватился, что домик, где живут котята, мал для него.

Подойдя к кошачьему домику, он увидел, что окна распахнуты настежь и из них валит дым. На пороге стоит Бамбошек с кочергой, а с крыши слезает Филек, перепачканный сажей и злой.

— Мы растопили печь, — стал объяснять слону Филек, — а она задымила. Я попробовал прочистить дымоход метлой, но метла застряла в дымоходе, и дыму стало ещё больше.

По тропинке мчался меж тем Трухтик в пожарном шлеме и с лейкой.

— Я думал, у вас пожар, — сказал он, с трудом переводя дыхание.

— Это не пожар. Это дымоход засорился, — объяснил ему Филек.

— Жаль, — пробурчал козлик.

— Как это жаль! — набросился на него слон. — Ты что, хочешь, чтоб такая хатка сгорела?

— Нет, этого я не хочу, — стал оправдываться козлик. — Но я, видишь ли, надел каску... Я думал, что буду гасить пожар.

Прибежали дети Барбашки. Они знали, что там, где слон, всегда бывает что-нибудь смешное.

Но слон несколько раз обошёл молча вокруг домика. Потом он сунул в трубу хобот, вытащил сперва метлу, а затем какой-то чёрный шар.

Шар свалился с крыши, покатился прямо к ручью. Бельчата побежали следом, но шара не догнали. Он скатился в воду.

И вдруг случилось чудо: шар преобразился, он был весь в красных и белых полосах.

— Наш мячик! — заверещали бельчата. И все вспомнили, как летом исчез мячик, как никто не мог его найти. Слон старался тогда утешить бельчат и пускал мыльные пузыри.

Бельчата благодарили слона, но ещё больше благодарили его котята.

— Смотри, как дым валит из трубы. А печка-то как гудит!

И котята пригласили всех на пончики.

Но слон не мог войти в дом. Через окно он опускал хобот на стол, и котята подсовывали ему самые большие пончики.

ПРОЩАНИЕ СО СЛОНОМ

Крольчонок сидел в своём зимнем домике у окна и смотрел, как падает снег. Это был первый, робкий ещё снег. Снежинки кружились в воздухе, прежде чем упасть на землю.

«Сегодня слон покидает нас, — подумал Горошек. — Снег — это не для него».

Крольчонок вышел из дома и отыскал слона.

— Я возвращаюсь туда, откуда пришёл к вам, — сказал слон. — Там зеленеют пальмы, там много солнца.

Все, кто любил слона, пришли с ним попрощаться. Слон заметил, что нет Барбашки, и удивился:

— Может, она рассердилась на меня?

— Она не рассердилась, — ответил Горошек. — Барбашка уже спит. Она пообещала, что если проснётся зимой, то навестит нас. Жаль, тебя тогда уже не будет. Вот если б ты остался...

— Нет, — покрутил головой слон. — Я не могу остаться. Уже пошёл снег, а я люблю, когда вокруг меня зелёное, а не белое.

Всей компанией они проводили слона до мостика через ручей. За мостиком начиналась большая дорога. По этой дороге слону предстояло отправиться туда, где зелёная трава, пальмы и жаркое солнце.

— До свиданья! Не забывай про нас! — прощались со слоном друзья.

— До свиданья! Я вернусь к вам, когда опять будут солнце и трава. Мне было хорошо с вами!

И слон зашагал по широкой дороге. Несколько раз он вскинул вверх хобот и обернулся.

Из-за деревьев меж тем неслышно вышел белый медведь, зимний гость.

Он наблюдал за тем, как слон уходит всё дальше и дальше, и, когда слон пропал из виду, медведь сказал:

— Ну вот, исчез... Сыпану-ка я снегу.

И отстегнул свои большие карманы, из которых выпорхнули снежинки. Они кружились и танцевали, а медведь шёл вразвалку, пушистый и белый, как снег.

— Пошли домой, — сказал Бамбошек. — Эти льдинки всё садятся да садятся мне на нос. Дома в печи так приятно потрескивает огонь.

Все разошлись. Кролик снова уселся у окна и стал смотреть, как, кружась, падают снежинки и засыпают его грядки, засыпают тропинки. Горошку казалось, будто он видит, как его анютины глазки, как жучки и букашки зарываются глубже в землю, а белые порхающие хлопья шепчут:

Позабудьте о солнце и зное,
Мы оденем поля белизною.
Не найти вам под снегом дорожек.
Спите, спите, как белка и ёжик!

СОДЕРЖАНИЕ

Литературно-художественное издание
әдеби-көркемдік баспа

Для старшего дошкольного возраста
мектепке дейінгі ересек балаларға арналған

КНИГИ — МОИ ДРУЗЬЯ

Хелена Бехлерова

ВЕСЁЛОЕ ЛЕТО
(орыс тілінде)

Перевод с польского *Святослава Свяцкого*

Художник *Ханна Чайковская*

Ответственный редактор *Л. Кондрашова*
Художественный редактор *И. Лапин*
Технический редактор *О. Кистерская*
Компьютерная графика *А. Алексеев*
Корректор *И. Гончарова*

ООО «Издательство «Эксмо»
127299, Москва, ул. Клары Цеткин, д. 18/5. Тел. 411-68-86, 956-39-21.
Home page: **www.eksmo.ru**   E-mail: **info@eksmo.ru**
Өндіруші: Издательство «ЭКСМО»ЖШҚ, 127299, Мәскеу, Ресей, Клара Цеткин көш., үй 18/5.
Тел. 8 (495) 411-68-86, 8 (495) 956-39-21
Home page: www.eksmo.ru   E-mail: info@eksmo.ru.
Тауар белгісі: «Эксмо»
Қазақстан Республикасында дистрибьютор және өнім бойынша арыз-талаптарды
қабылдаушының
өкілі «РДЦ-Алматы» ЖШС, Алматы қ., Домбровский көш., 3«а», литер Б, офис 1.
Тел.: 8(727) 2 51 59 89,90,91,92, факс: 8 (727) 251 58 12 вн. 107; E-mail: RDC-Almaty@eksmo.kz
Өнімнің жарамдылық мерзімі шектелмеген.
Сертификация туралы ақпарат сайтта: www.eksmo.ru.certification.

Өндірген мемлекет: Сертификация қарастырылған

Сведения о подтверждении соответствия издания согласно законодательству РФ
о техническом регулировании можно получить по адресу: http://eksmo.ru/certification/

Подписано в печать 27.06.2013.
Формат 60x90$^1/_{16}$. Печать офсетная. Усл. печ. л. 5,0.
Тираж 7 000 экз. Заказ 681

Отпечатано с электронных носителей издательства.
ОАО "Тверской полиграфический комбинат". 170024, г. Тверь, пр-т Ленина, 5.
Телефон: (4822) 44-52-03, 44-50-34, Телефон/факс: (4822)44-42-15
Home page - www.tverpk.ru Электронная почта (E-mail) - sales@tverpk.ru

ISBN 978-5-699-62178-1

—